Isaac Asimov

notre voie lactée et les autres galaxies

Texte français de Robert Giraud

bibliothèque de l'univers

Père Castor
Flammarion

Sommaire

Titre original : Our Milky Way and Other Galaxies

Loi n° 49-956 du 16 juillet 1949 sur les publications destinées à la jeunesse

Introduction

L'Univers où nous vivons est d'une
taille gigantesque, mais il a fallu attendre
ces cinquante dernières années pour
que nous nous en rendions vraiment compte.
Il était bien naturel que nous cherchions
à mieux connaître l'endroit où nous habitons.
C'est pourquoi, depuis un demi-siècle,
nous avons fabriqué de nouveaux instruments
de recherche, comme les radiotélescopes,
les satellites, les sondes, qui nous ont appris sur
l'Univers beaucoup plus que tout ce que l'on
pouvait imaginer quand j'étais jeune.
Désormais, nous avons vu les planètes de près.
Nous avons appris des choses stupéfiantes
sur la façon dont l'Univers a pu se former et dont
il peut finir un jour. C'est une découverte exaltante.
Dans le ciel, à l'œil nu, nous distinguons des
milliers d'étoiles, et les télescopes nous en
révèlent quelques milliards d'autres. Ces étoiles
ne sont pas dispersées au hasard; elles
forment des groupements bien reconnaissables.
Le Soleil fait ainsi partie d'un groupement, dont
nous avons réussi à étudier la forme,
et nous savons qu'il en existe des milliards
d'autres. Ces groupements sont ce
qu'on appelle les galaxies.

Une brume laiteuse

Voulez-vous vérifier que la Terre et ses habitants sont bien peu de choses dans l'Univers ? Eh bien, attendez d'être dehors, par une belle nuit bien sombre, loin des lumières des villes, et repérez la large écharpe laiteuse qui traverse le ciel.
Cette écharpe s'appelle la Voie lactée (du latin «lacteus», laiteux). Sa nature demeura ignorée jusqu'à la première utilisation d'une lunette astronomique, en 1609. On vit alors qu'il s'agissait d'un gigantesque rassemblement d'étoiles de faible éclat. Mais c'est seulement vers 1800 que les astronomes comprirent que les étoiles constituaient une sorte de galette, qui reçut le nom de galaxie, du mot grec qui signifie «lait».

La Voie lactée la nuit. Cette photo a été prise dans un désert de l'Arizona (Etats-Unis). Vous pourrez voir le même spectacle par temps dégagé, en pleine campagne, loin des lumières des villes. En réalité, la bande épaisse à laquelle nous avons donné le nom de Voie lactée n'est que l'un des quatre bras qui forment notre Galaxie : le bras du Sagittaire.

Le Soleil dans la Voie lactée

Les astronomes ont commencé par placer le Soleil au voisinage du centre de la Galaxie. Mais ils découvrirent par la suite que ce centre était en fait à 24 000 années-lumière de nous, du côté de la constellation du Sagittaire. Rappelons qu'une année-lumière est la distance parcourue en une année par la lumière, soit 9 500 milliards de kilomètres. A cette vitesse, les rayons du Soleil mettent 8 minutes environ à nous atteindre, et nous pourrions faire sept fois et demie le tour du globe en une seconde !
La Galaxie s'étend sur 100 000 années-lumière. Son centre forme une sorte de boule, remplie de vieilles étoiles rougeoyantes, autour de laquelle s'étend un disque aplati qui contient des poussières, du gaz et de jeunes étoiles bleutées. La Voie lactée devrait nous apparaître beaucoup plus brillante à proximité du centre, mais celui-ci nous est caché par des nuages de poussières. Le Soleil se trouve dans le disque extérieur, au sein du bras d'Orion. Les trois autres bras de notre Galaxie portent les noms du Centaure, du Sagittaire et de Persée.

▲ Les étoiles se constituent à partir des vastes nuages de poussières et de gaz des bras de la Galaxie. Ces nuages sont appelés des nébuleuses. Sur la photo, une nébuleuse du bras du Sagittaire, vue d'un observatoire terrestre.

► Le centre de notre Galaxie n'est pas la zone brillante que l'on aperçoit presque au milieu du cliché. C'est au contraire la bande obscure qui longe le bord droit de la photo et où sont concentrées les masses de gaz et de poussières qui absorbent la lumière émise par le cœur de la Galaxie.

►► Grâce à l'auteur du dessin, nous pouvons contempler notre «maison» de l'extérieur. N'est-elle pas jolie, notre Galaxie à nous, avec ses quatre bras enroulés autour de son centre ? Le Soleil et les planètes qui l'accompagnent se situent dans le troisième bras, désigné du nom de la constellation d'Orion.

Là où naissent et meurent les étoiles

Les étoiles, notre Galaxie en est pleine. Elle en contient au moins 200 milliards. Sur une telle quantité, il est normal que l'on trouve des étoiles de type et d'âge extrêmement différents. Notre Soleil est apparu il y a près de cinq milliards d'années et d'autres astres sont en train de se former aujourd'hui. Comme les étoiles ne sont pas éternelles, elles finissent par mourir : les plus grosses explosent, alimentant les nuages de poussières où prennent naissance les nouvelles étoiles. Les plus grosses d'entre les plus grosses ne durent que quelques millions d'années avant de faire explosion. Le Soleil, lui, a encore quelques milliards d'années devant lui, avant de connaître une fin plus douce, celle d'une naine blanche.

? Saurons-nous un jour comment les galaxies se sont formées ?

Les astronomes pensent qu'au début, l'Univers était un petit objet à la masse uniformément répartie. Pourquoi cette masse s'est-elle séparée en amas distincts? Certains spécialistes considèrent que des blocs extrêmement denses de matière, appelés trous noirs, se sont constitués, attirant à eux les gaz et les poussières pour donner naissance aux étoiles. Cela expliquerait qu'il y ait des trous noirs au cœur des galaxies. Mais tous les savants ne sont pas d'accord avec ce point de vue.

▲ Cette image rassemble les différentes étapes de la vie d'une étoile du type du Soleil. A l'extrême gauche : un disque d'accrétion, dont le centre émet une faible lueur; ce disque se forme à partir d'une nébuleuse, vaste nuage de gaz et de poussières. Plus à droite : l'étape la plus longue, celle où l'étoile figure dans la séquence principale; le Soleil s'y trouve depuis 4,5 milliards d'années et y demeurera encore autant. Puis il deviendra une géante rouge (au centre) pour encore un demi-milliard d'années environ, avant de se réduire en une naine blanche (à droite), qui mettra ensuite des milliards d'années à se refroidir. Dans cette naine blanche se conservera la quasi-totalité de la masse actuelle du Soleil sous un volume qui ne dépassera pas celui de la Terre.

◀ Au milieu de cette photo, une supernova de la mini-galaxie connue sous le nom de Grand Nuage de Magellan. Les supernovae résultent de l'explosion des plus grandes des géantes rouges. Notre Soleil, semblable en cela à la majorité des étoiles, achèvera sa vie d'une façon moins spectaculaire sous la forme d'une naine blanche.

De pleines couvées d'astres

Un nuage de poussières et de gaz
peut donner naissance à une étoile unique,
comme dans le cas du Soleil, ou,
plus souvent, à des étoiles multiples.
On a ainsi des jumeaux, ou étoiles doubles,
formés de deux corps qui gravitent
l'un autour de l'autre.
On rencontre également des triplés,
des quadruplés et même des amas entiers
d'étoiles jeunes. Une autre forme d'association
est celle des amas globulaires, de forme
sphérique, dans lesquels s'entassent
d'énormes quantités d'étoiles, plusieurs
centaines de milliers parfois.
La Galaxie elle-même, avec les centaines
de milliards d'étoiles qui la composent, a sans
doute commencé son existence comme
un gigantesque nuage de gaz.

▲ Un authentique amas globulaire, situé à 16 000 années-lumière de la Terre. Autrement dit, à l'échelle des amas globulaires, un proche voisin.

◀◀ Ce dessin vous présente, vue depuis une planète imaginaire, une étoile double, ou système binaire. L'artiste a figuré les deux étoiles à des distances différentes de l'observateur et, loin à l'arrière, un amas globulaire.

◀ Voici l'aspect que devrait avoir un amas d'étoiles jeunes. Un seul amas de ce type peut compter des centaines d'astres.

Hors des frontières de la Voie lactée

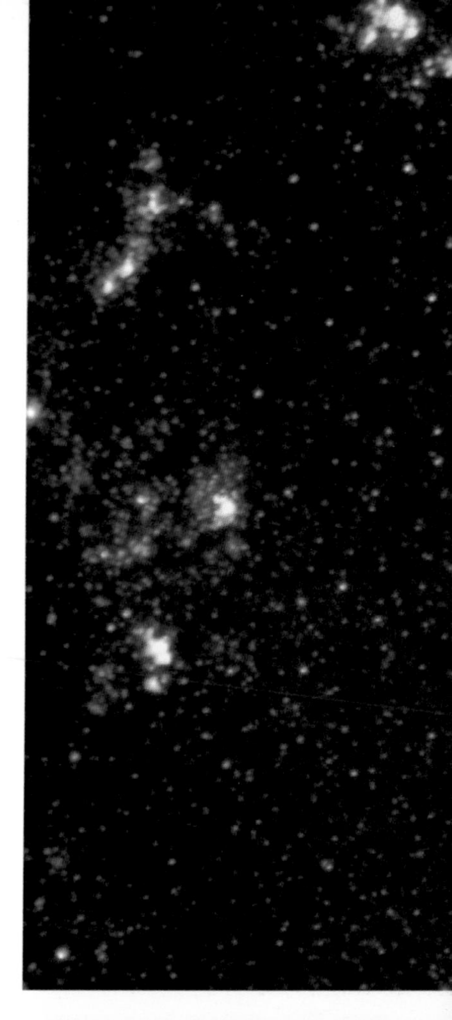

Notre Galaxie contient-elle la totalité des étoiles? S'identifie-t-elle à l'Univers ? Non. Quand on voyage dans l'hémisphère Sud, on peut apercevoir dans le ciel nocturne deux taches ternes qui paraissent être deux fragments détachés de la Voie lactée. Ils ont reçu le nom de Grand et de Petit Nuages de Magellan, d'après le nom du premier explorateur européen à les avoir repérés. Chacun d'eux est fait de myriades d'étoiles peu brillantes. Ce sont des galaxies naines, distantes d'environ 150 000 années-lumière. Le Grand Nuage de Magellan contient environ 10 milliards d'étoiles, et le Petit, 2 milliards seulement. A côté d'eux, notre Galaxie est une géante !

Les galaxies tournantes donnent le vertige aux savants

Les astronomes ont toujours pensé que la majeure partie de la masse d'une galaxie (jusqu'à 90 %) était concentrée dans son centre, ou bulbe. Les étoiles extérieures tournent autour de ce centre et, plus elles en sont éloignées, plus leur vitesse est faible. Les spécialistes savent exactement de combien diminue la vitesse à mesure que la distance du centre augmente. Or, quand ils mesurent la rotation des galaxies, ils découvrent que la diminution n'est pas celle qu'ils attendaient. Tout se passe comme s'il y avait, dans les régions extérieures, davantage de masse que nous pouvions l'imaginer. Si bien qu'aujourd'hui, de nombreux scientifiques en viennent à l'idée que cette masse - dont nous ne sommes pourtant pas sûrs qu'elle existe ! - pourrait atteindre 90 % de celle de toute la Voie lactée. Ou alors faut-il supposer que les galaxies sont enveloppées de halos d'étoiles ternes ou de trous noirs indécelables. C'est ce que les astronomes appellent le «mystère de la masse manquante».

▲ Les habitants des régions situées au sud de l'équateur peuvent observer le Grand Nuage de Magellan sans instruments d'optique. La faible distance à laquelle il se trouve ont permis aux astronomes, en l'étudiant, de se faire une meilleure idée de notre propre Galaxie.

▶ Autre galaxie «satellite» de la Voie lactée, le Petit Nuage de Magellan est visible à l'œil nu au sud de l'équateur. Il ne compte que deux milliards d'étoiles, contre plus de 200 milliards dans la Voie lactée.

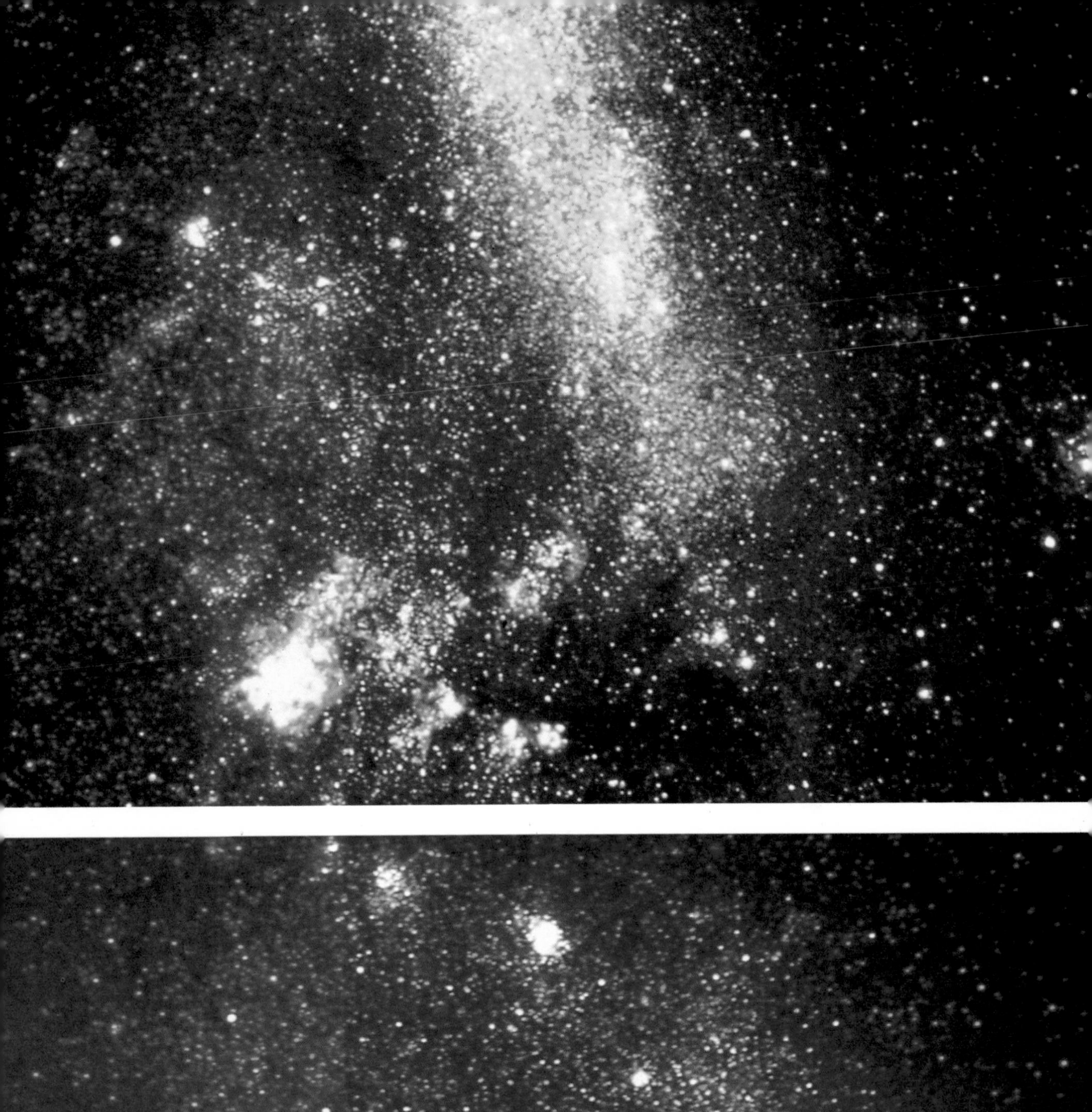

Une vue impressionnante de la galaxie d'Andromède. Comme la Voie lactée et plus de la moitié des autres grandes galaxies connues, c'est une galaxie spirale. Elle comporte en son milieu un disque aplati, que prolongent des bras spiralés, brillant de l'éclat réuni de toutes les étoiles qui les composent. La galaxie d'Andromède compte plus de 300 milliards d'étoiles.

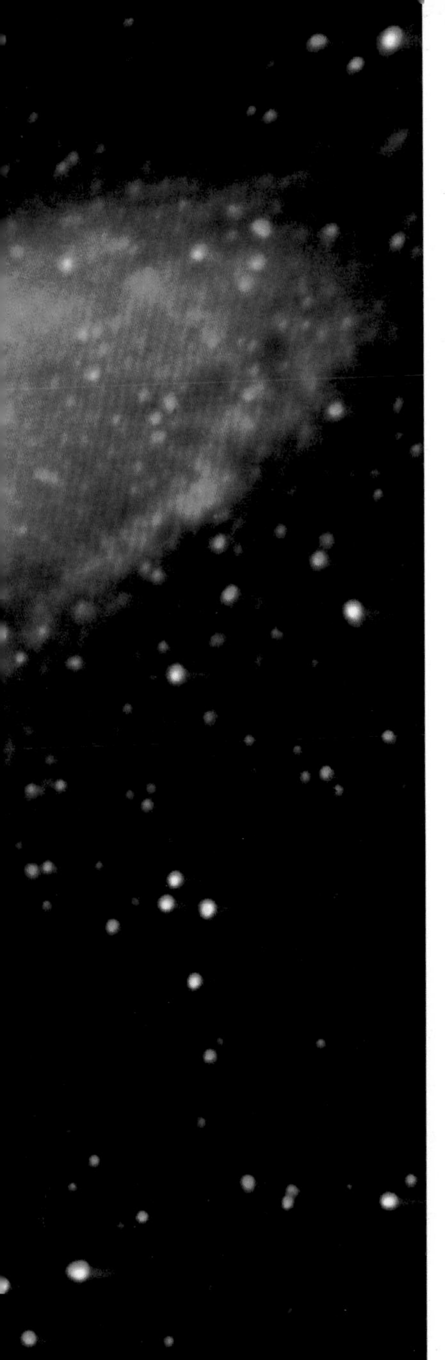

Toujours plus loin

Il y a bien d'autres galaxies. Prenons, par exemple, la tache blanchâtre située dans la constellation d'Andromède. On la connaît depuis des siècles et, pendant longtemps, on ne lui a pas accordé d'importance. C'est seulement après 1920 que les astronomes ont établi qu'il s'agissait d'un objet extérieur à la Voie lactée, d'une autre galaxie beaucoup plus grande que la nôtre. C'est la galaxie d'Andromède, distante de 2 300 000 années-lumière, ou, comme disent les savants, de 700 000 parsecs.

On a repéré à des distances de cet ordre deux douzaines d'autres galaxies, pour la plupart de petite taille. Elles forment un amas appelé Groupe local. Toutes ces galaxies sont maintenues ensemble par la gravité, qui détermine leurs mouvements réciproques.

? Les galaxies sont-elles les univers-îles?

En 1755, un philosophe allemand, Emmanuel Kant se demanda si certaines taches diffuses qui apparaissaient au télescope ne seraient pas des groupements d'étoiles très éloignés. Il leur donna le nom d'univers-îles. A l'époque, personne ne le prit au sérieux. Tout le monde croyait qu'il s'agissait de nuages de poussière et de gaz assez proches. Il fallut aux astronomes près de deux cents ans pour percer l'énigme de ces nébulosités et reconnaître que Kant avait eu raison bien avant eux. Les univers-îles de Kant, c'est ce que nous nommons aujourd'hui les galaxies

Les amas de galaxies

Le cas du Groupe local n'est pas exceptionnel. Tout comme les étoiles, les galaxies forment des amas. Parmi ces amas, le Groupe local est relativement petit. Il en existe de plus importants. Dans la Chevelure de Bérénice, on en trouve un qui compte près de 1 000 galaxies. Il est à environ 100 mégaparsecs, soit un peu moins de 400 millions d'années-lumière de nous. Plus près, nous trouvons l'amas de la constellation de la Vierge, qui rassemble 2 500 galaxies. Récemment, on a fait la découverte d'un amas gigantesque qui en compte dix fois plus. Malgré sa taille, notre Voie lactée n'est donc, dans l'Univers, qu'une galaxie parmi des milliards d'autres. Nous ne les avons pas toutes dénombrées, mais cela ne les empêche pas d'exister.

Un autre cas de disparition de masse ?

La cohérence des amas galactiques est assurée par leur gravité. Cependant, l'attraction gravitationnelle des étoiles que nous discernons dans ces amas n'est pas assez forte pour les empêcher de s'éloigner. La seule explication que les astronomes ont pu trouver à ce phénomène est qu'il y a à proximité d'énormes accumulations de masse, invisibles parce que non produites par les étoiles. Mais alors, d'où provient cette masse ? D'étoiles très peu brillantes, de planètes? ou alors de mystérieux objets ne ressemblant à rien de connu ? Avons-nous affaire, là encore, à un cas de «masse manquante»?

▲ Un gros amas de galaxies dans la constellation de la Chevelure de Bérénice. Il en contient un millier.

◀◀ Les «frères siamois». Ces galaxies ont reçu ce nom parce que leurs deux disques paraissent se toucher.

◀ L'amas de galaxies de la Vierge. C'est un amas irrégulier, assez largement disséminé, moins dense au voisinage de son centre.

Quelle forme a la Voie lactée?

Toutes les galaxies n'ont pas le même aspect. Certaines sont compactées, d'autres forment des spirales plus ou moins aplaties. La Voie lactée est une galaxie spirale. Ses parties extérieures prennent l'aspect de longs filaments incurvés, appelés bras spiraux, qui se rattachent au bulbe central.
Les astronomes repèrent le tracé des bras aux jeunes géantes bleues qu'ils contiennent. Le bras d'Orion est celui où se trouve le Soleil. Il vient en troisième position après les bras du Centaure et du Sagittaire, tandis que celui de Persée nous paraît plus éloigné.
Toutes les étoiles qui constituent ces bras tournent autour du centre de la Galaxie. Le Soleil met 230 millions d'années pour décrire un cercle complet.

1

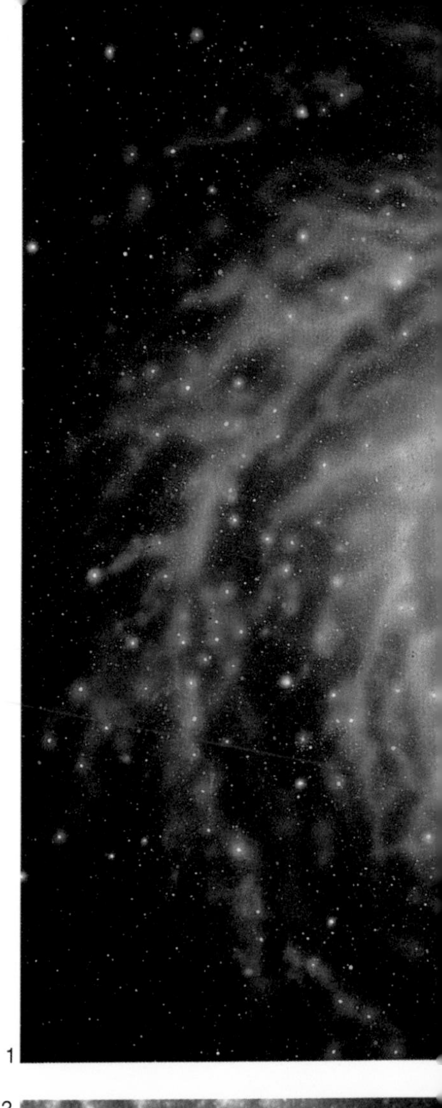

2

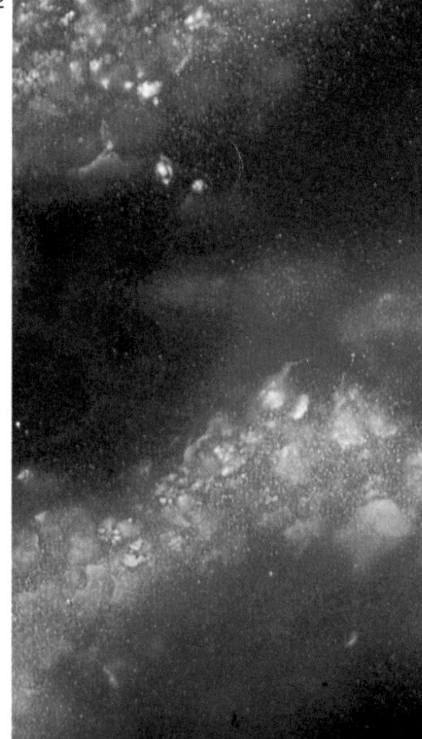

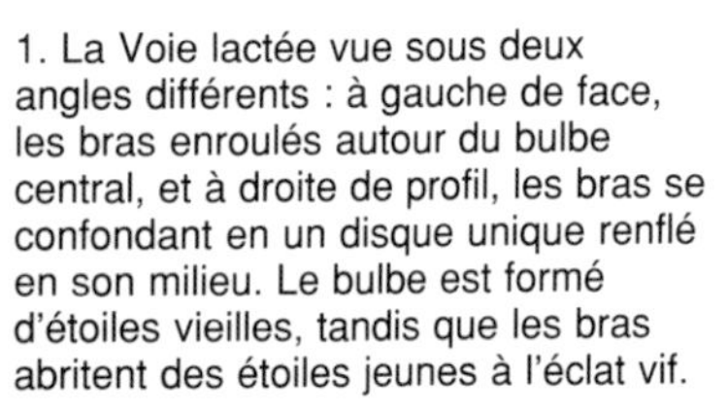

1. La Voie lactée vue sous deux angles différents : à gauche de face, les bras enroulés autour du bulbe central, et à droite de profil, les bras se confondant en un disque unique renflé en son milieu. Le bulbe est formé d'étoiles vieilles, tandis que les bras abritent des étoiles jeunes à l'éclat vif.

2. Grâce au fait que le système solaire est sur la face interne du bras d'Orion, nous avons une vue splendide du bras du Sagittaire, plus central,

3. Ce schéma, où figurent les noms des éléments constitutifs de notre Galaxie, permet de mieux repérer les différentes parties de la Voie lactée, telle qu'elle est représentée sur l'illustration 1. On distingue mieux la forme exacte du bras d'Orion. Certains le comparent plutôt à un éperon qu'à un bras.

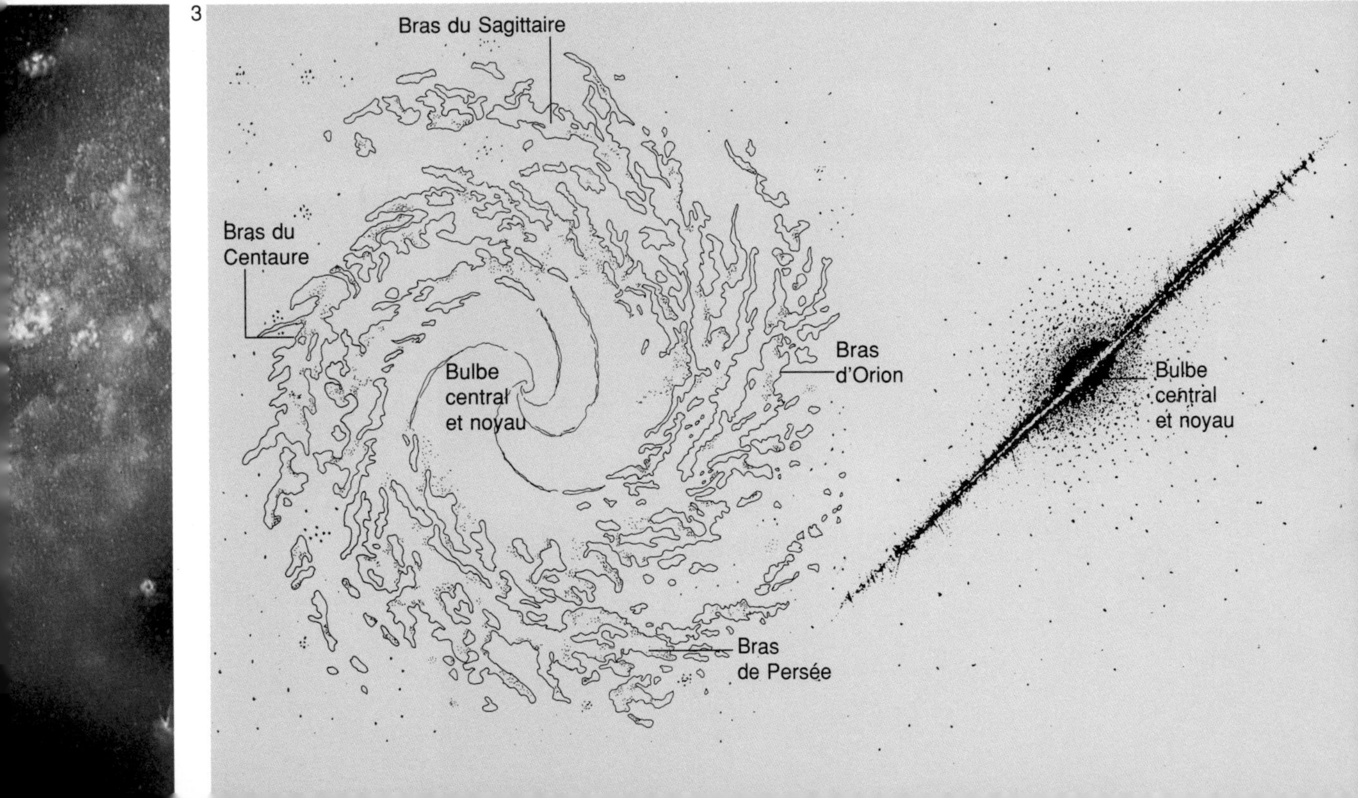
3
Bras du Sagittaire
Bras du Centaure
Bulbe central et noyau
Bras d'Orion
Bras de Persée
Bulbe central et noyau

1

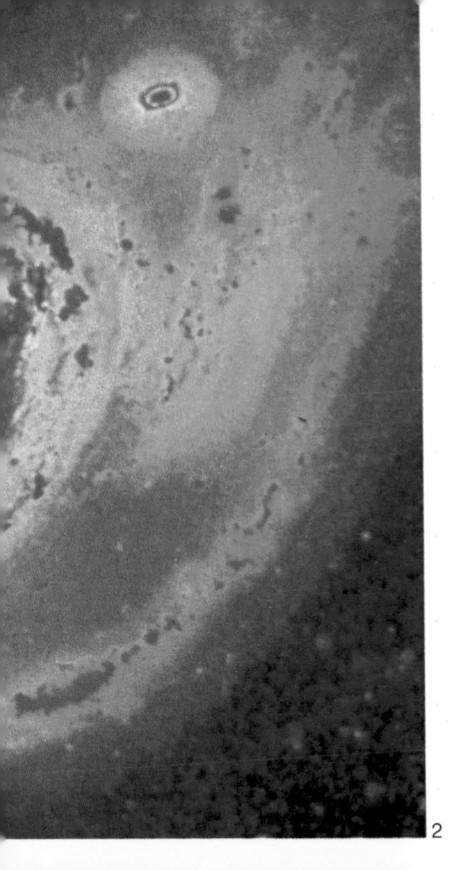

2

5

Autres galaxies spirales

Notre Voie lactée présente un spectacle grandiose. Evidemment, nous trouvant à l'intérieur, nous n'en avons pas une vision d'ensemble. Mais nous pouvons nous en faire une idée en observant d'autres galaxies, en premier lieu celles qui nous font face, telle la superbe galaxie des Chiens de Chasse, à la structure spirale particulièrement bien dessinée. Nous apercevons la galaxie d'Andromède un peu penchée, mais cela ne nous empêche pas de bien distinguer ses bras. D'autres, comme celle du Sombrero, sont vues par la tranche et elles nous apparaissent barrées par une bande de nuages de poussières Chaque galaxie spirale est belle à sa façon.

1. La galaxie M81, qui porte un nom peu évocateur, mais qui est l'une des plus visibles et des mieux connues des galaxies spirales. Le traitement des couleurs par ordinateur permet de faire ressortir en bleu les étoiles jeunes qui garnissent les bras et en orange les vieilles qui peuplent le disque.

2. Vue en fausses couleurs d'une galaxie avec un jet de matière expulsé de son noyau. Ce jet nous apparaît sous la forme d'une mince raie rouge dirigée vers le bord supérieur de l'image. Il peut signifier qu'il y a un trou noir au centre de la galaxie.

3. Des nuages de poussières traversent le plan d'une galaxie spirale, masquant la lumière des étoiles situées au-delà. La prochaine fois que vous marcherez pieds nus, pensez aux grains de poussière sous vos pieds. Peut-être se sont-ils baladés il y a très longtemps dans l'espace au sein de nuages qui ressemblaient à celui-là !

4. La galaxie du Sombrero. N'est-ce pas qu'elle est belle ? Mais pourquoi donc lui a-t-on donné ce nom ?

5. Une galaxie spirale visible dans l'hémisphère Sud.

Les formations elliptiques

Bon nombre de galaxies n'ont pas une structure en spirale. Ne comportant qu'un centre dépourvu de bras, elles ont reçu le nom de galaxies elliptiques parce qu'elles ont une forme ovale. La plupart sont ternes et ne présentent pas le même splendide spectacle que les galaxies spirales. Il y a quand même des géantes parmi elles. Les grands amas sont souvent constitués de galaxies elliptiques, et les plus grandes d'entre elles contiennent cent fois plus d'étoiles que la Voie lactée ! Les galaxies elliptiques, de même que les centres des galaxies spirales, sont formées d'étoiles vieilles de taille relativement peu importante.

Combien d'étoiles avez-vous dit ?

Une galaxie moyenne compte dans les 100 000 000 000 (cent milliards) d'étoiles. Certaines galaxies elliptiques en ont cent fois plus et, à l'inverse, la population de nombreuses naines est dix fois moindre. En gardant le chiffre moyen de cent milliards par galaxie et en considérant, comme la plupart des astronomes, qu'il y aurait autour de cent milliards de galaxies dans l'Univers, on arrive à un total de dix mille milliards de milliards, ou 10 000 000 000 000 000 000 000 d'étoiles !

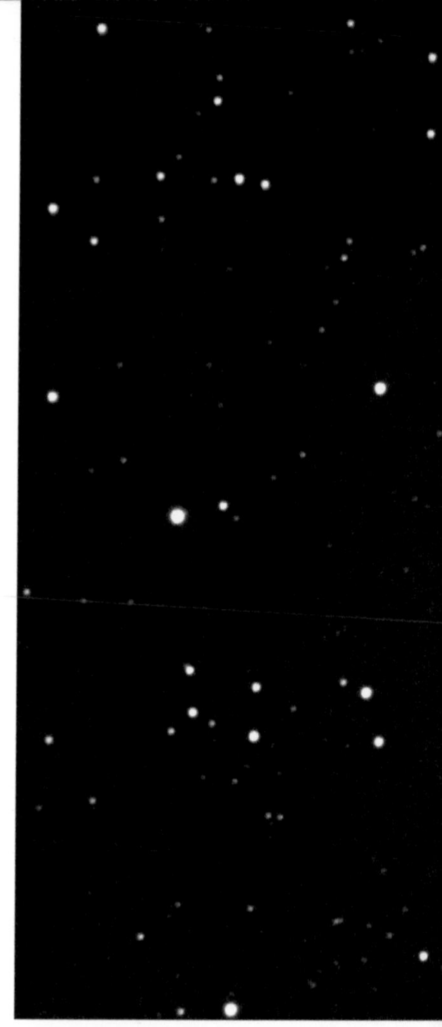

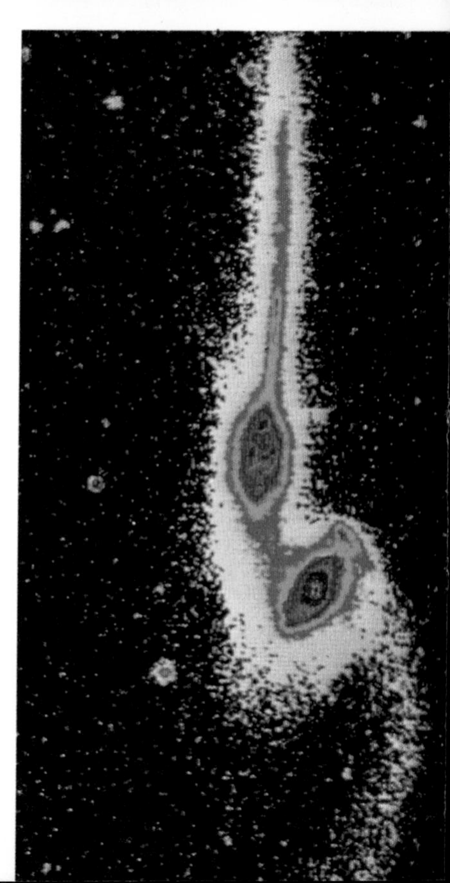

▲ La galaxie du Centaure est l'une des plus brillantes et des plus grandes. Les scientifiques pensent que son noyau est le siège de prodigieuses explosions affectant des millions d'étoiles. La matière ainsi projetée constitue la bande sombre qui coupe le disque galactique.

►► Différents types de galaxies vus depuis une planète imaginaire. Saurez-vous reconnaître les galaxies elliptiques et les galaxies spirales?

► On constate des interactions et même parfois des chocs de galaxies. Cette photo, en couleurs traitées sur ordinateur, fait apparaître des jets de gaz arrachés par l'interaction de deux galaxies jouant à se frôler.

Des mondes qui explosent

Des zones bien délimitées du centre des galaxies sont des sources intenses de radiations, sous forme de lumière, d'ondes radio, de rayons X, etc. Notre Galaxie a, elle aussi, un centre très actif. Les astronomes se demandent si la forte activité des centres galactiques ne s'explique pas par la présence de trous noirs. Les trous noirs sont de petits objets dotés d'une masse égale à celle de millions d'étoiles et qui possèdent donc une gravité si forte qu'ils peuvent absorber d'autres étoiles et retenir prisonnière la lumière elle-même. Certains centres galactiques sont le siège d'une activité tellement puissante qu'ils donnent l'impression d'exploser, projetant des jets de matière et émettant une grande quantité de radiations. Notre Galaxie, heureusement pour nous, est d'un tempérament plus calme.

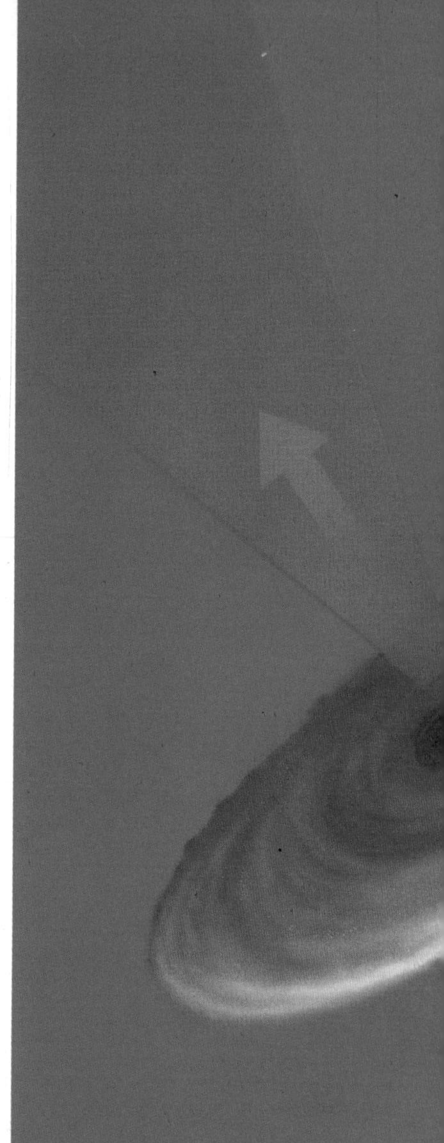

!

Des galaxies très éloignées, et je dis bien: très

Les galaxies très distantes (d'au moins, disons, un milliard d'années- lumière) sont si pâles qu'on ne peut les apercevoir. Mais, certaines d'entre elles ont un centre extrêmement actif. Ces centres jettent un tel éclat qu'il est possible de les détecter, même sans voir la galaxie dont ils font partie. Les astronomes eurent ainsi la surprise, en analysant la lumière de corps ternes qui paraissaient appartenir à notre Galaxie, de découvrir qu'il ne s'agissait pas d'étoiles, mais de centres de galaxies extrêmement éloignées, et que leur faible éclat s'expliquait par cet éloignement. Ces centres actifs lointains ont reçu récemment le nom de quasars, et ils sont parmi les objets les plus distants jamais aperçus dans l'Univers.

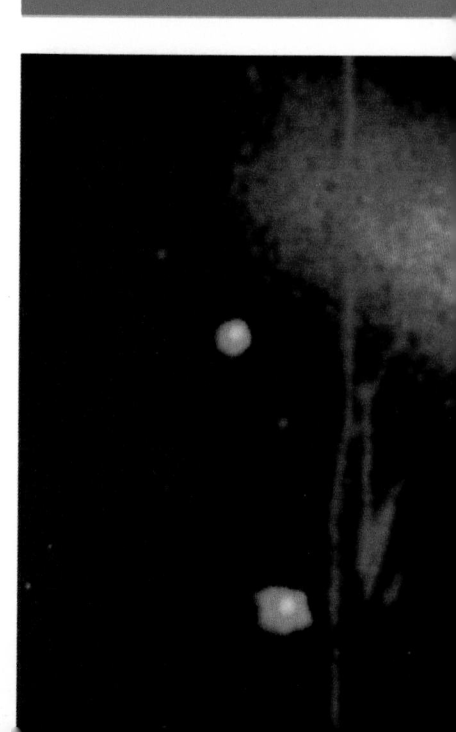

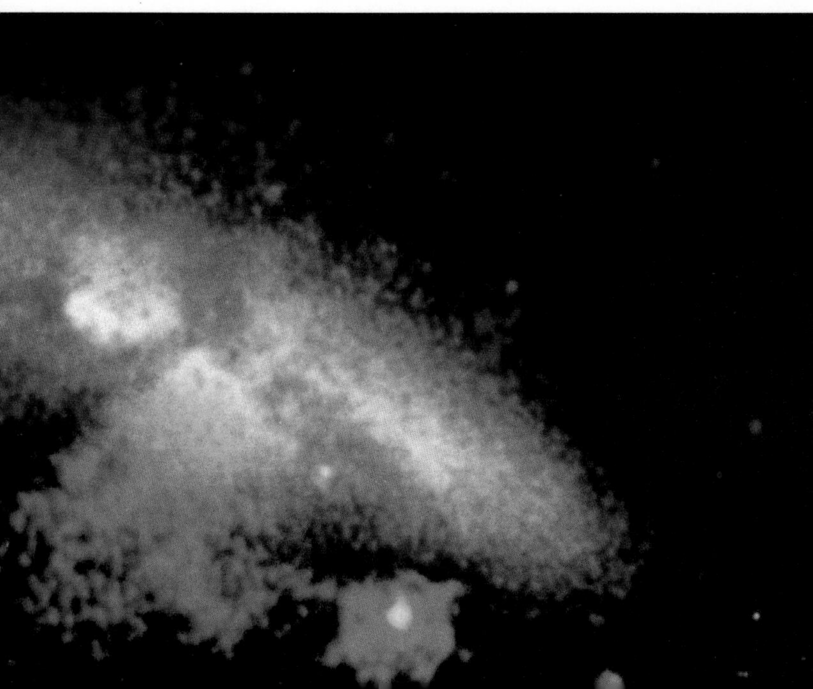

▲ Sur fond noir, vue générale d'une galaxie spirale tourbillonnante. Sur fond bleu un gros plan de son centre actif. Nous voyons ici, tout d'abord, un système binaire, où une étoile du type du Soleil se trouve associée à un trou noir qui aspire les gaz brillants de l'étoile pour en alimenter le disque qui tourbillonne autour de ce trou noir. Ce qu'on appelle un trou noir est bien loin d'être creux. Au contraire, c'est de la matière extraordinairement dense, atteignant la masse de millions d'étoiles, exerçant une attraction gravitationnelle si forte que même la lumière ne peut lui échapper. Les deux jets symétriques projetés par le trou noir représentent des radiations et de la matière en excédent.

◀ La galaxie M82 paraît exploser. Le bloc compact des étoiles rougeâtres semble disloqué, et les gaz expulsés dans un cône bleuté de radiation.

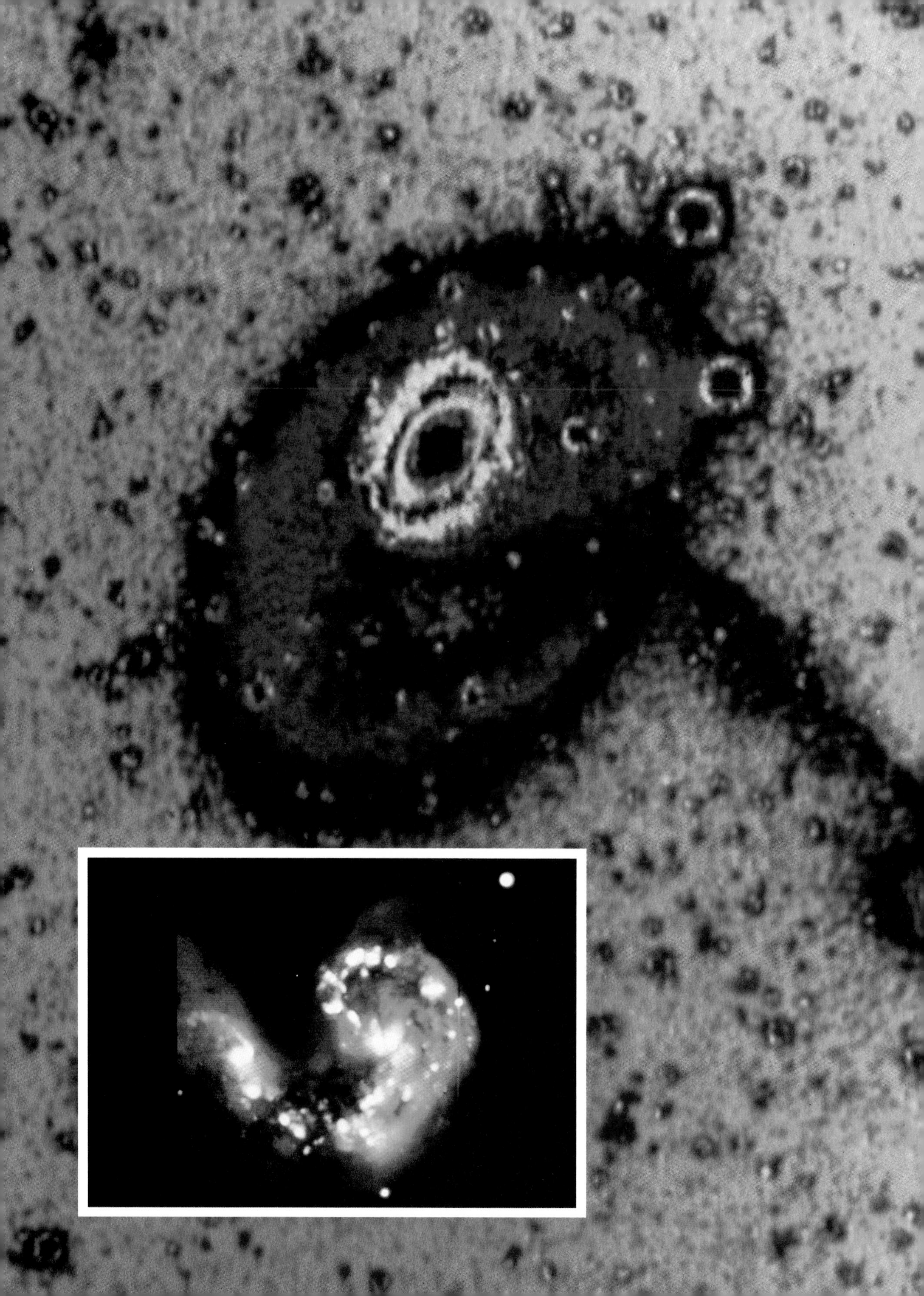

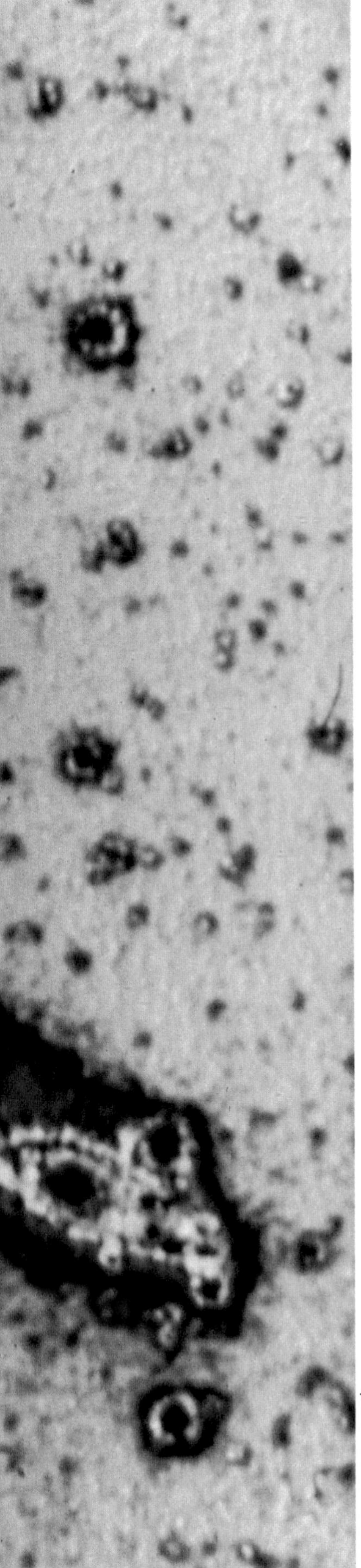

Des mondes qui se heurtent

Ce n'est pas la place qui manque, dans l'Univers. Pourtant, à force d'y circuler, certaines galaxies finissent par se rencontrer. Dans la plupart des cas, les étoiles sont si dispersées qu'elles se croisent sans dommage. Mais les galaxies qui se frôlent peuvent être profondément modifiées. La dislocation des nuages de poussières, par exemple, peut provoquer l'émission de fortes radiations. Et, en cas de choc frontal, les galaxies fusionnent quelquefois. Effectivement, les galaxies géantes que nous trouvons dans certains amas doivent leur taille à l'absorption d'autres galaxies. C'est pourquoi on leur donne parfois le nom de «galaxies cannibales». Qui sait si, dans quelque quatre milliards d'années, notre Galaxie ne croisera pas la route de la galaxie d'Andromède et quels en seront les résultats ? En tout cas, aujourd'hui, soyons heureux d'être bien tranquilles dans notre petit coin de Voie lactée.

◀ Le cliché, traité sur ordinateur, du choc de deux galaxies en forme de champignon, et qui sont reliées par un pont de gaz. L'éclat de ce pont est fourni par des étoiles jeunes.

◀◀ C'est à la suite d'un choc titanesque que se sont formées ces deux galaxies en «antennes», ou en «queues de rat», à 90 millions d'années-lumière de la Terre. Leur rencontre a débuté il y a 500 millions d'années.

Quelques repères

La Voie lactée et les constellations

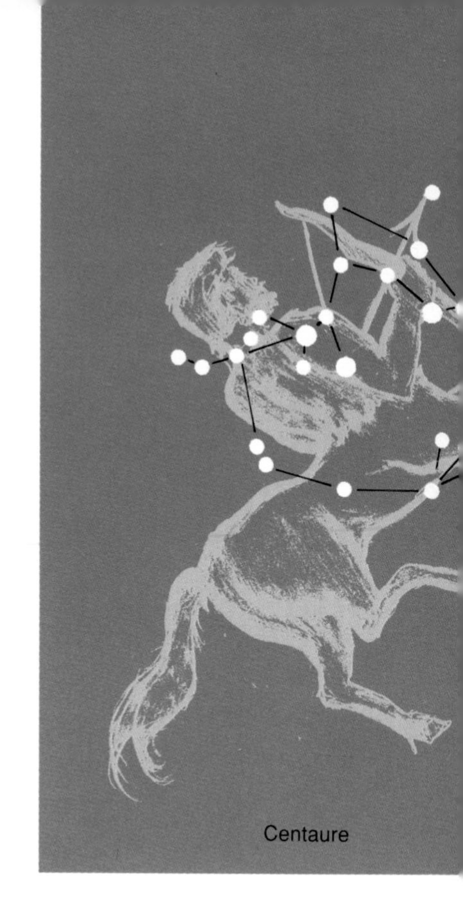
Centaure

Quand vous regardez la Voie lactée, vous voyez des milliers d'étoiles d'un coup. Certaines de ces étoiles ressortent mieux, et, pendant des siècles, les hommes ont cru qu'elles formaient des signes, ou des images, dans le ciel. On les appelle des constellations. La plupart des constellations ont reçu les noms d'objets, de créatures ou de dieux de la mythologie antique.
L'inclinaison de la Terre fait que ces constellations ne sont pas visibles de n'importe quel point de la surface du globe. De plus, les étoiles qui nous apparaissent proches les unes des autres ne le sont pas forcément. Autrement dit, les constellations ne correspondent pas à une réalité physique. Simplement, elles sont un défi à notre imagination, et aussi un moyen commode de retrouver les étoiles, les planètes et d'autres objets célestes. Elles sont nos repères dans la Voie lactée.

La Galaxie en chiffres : ça fait combien, un milliard ?

Cela fait combien, un milliard ?
Vous avez déjà vu des immeubles de huit ou de quinze étages, vous savez qu'un jour se compose de 24 heures, qu'une voiture peut rouler sur autoroute à 130 km/h. Mais comment se représenter un parcours de la lumière de neuf milliards et demi de kilomètres en une année ? Que comprenons-nous, si l'on nous dit que la Voie lactée s'étend sur 100 000 années-lumière ? Réalisons-nous que cela signifie cent mille fois neuf milliards et demi de kilomètres ? Ce sont là des chiffres qui défient notre imagination.

Les âges et les distances auxquelles nous sommes confrontés lorsque nous évoquons les galaxies ne peuvent s'évaluer qu'en terme de milliards. Les spécialistes ont tourné la difficulté en introduisant une nouvelle unité de longueur, le parsec, qui vaut un peu plus de 3 années-lumière. Le parsec, à la différence de l'année-lumière, a des multiples : le kiloparsec (égal à mille parsecs) et le mégaparsec (ou million de parsecs).

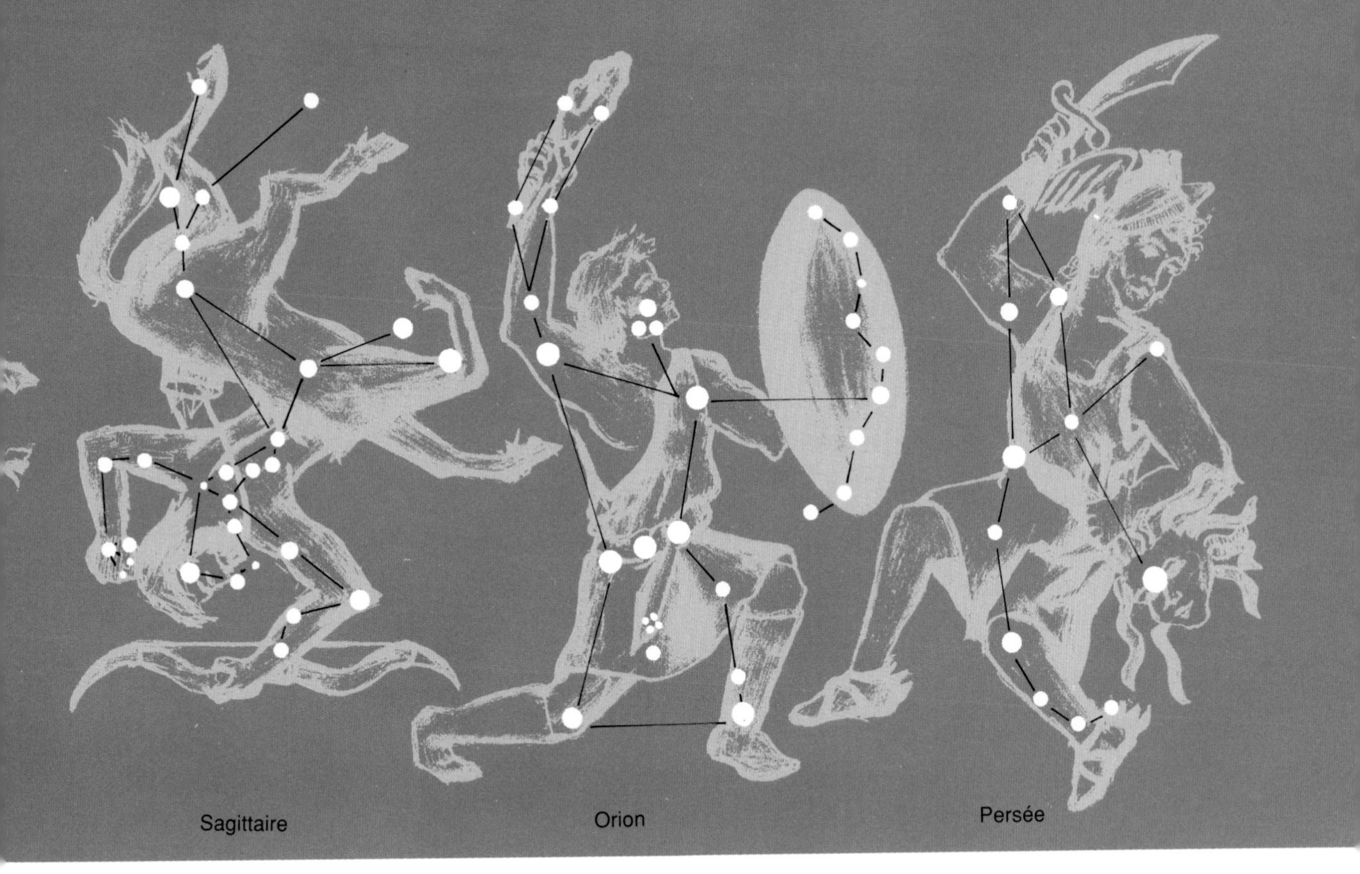

Les bras de notre Galaxie ont été baptisés d'après les quatre constellations figurées ci-dessus. De gauche à droite, nous trouvons le Centaure, un être mythique mi-homme et mi-cheval, le Sagittaire, ou archer, Orion le chasseur et Persée, le héros qui tua Méduse, la terrible créature qui changeait ses victimes en pierres.

Essayons pourtant de voir ce que représentent concrètement les millions et les milliards, appliqués aux réalités de notre vie de tous les jours :

- Les seize feuillets qui composent ce livre font environ 2 mm d'épaisseur.
- Un million de ces feuillets atteindrait la hauteur d'un immeuble de 32 étages.
- En entassant un milliard de feuilles, on arriverait à une hauteur de 90 km, soit dix fois plus que l'Everest, la plus haute des montagnes de la Terre!
- Un billion, ou mille milliards, représenterait plus de 95 000 km, soit le quart de la distance de la Terre à la Lune.
- Nous savons que 60 secondes font une minute, et 60 minutes une heure. Donc, un jour de 24 heures se compose de 86 400 secondes
- Un million de secondes, c'est 12 jours.
- Un milliard de secondes représente plus de 31 ans.
- Un billion (mille milliards) de secondes c'est 300 siècles, ou 30 000 ans. Il y a trente mille ans, nos aïeux vivaient encore, pour la plupart, dans des cavernes.

Nous pouvons prendre les objets les plus petits possible : un milliard de ces objets représentera de toute façon une quantité... astronomique.

Que lire, que visiter, où se renseigner

Si ce volume vous a donné l'envie d'en savoir plus sur ces immenses champs d'étoiles que sont les galaxies,

Lisez :

- *Les Galaxies, nébuleuses, trous noirs, quasars*, aux éditions Atlas (1984)
- *L'Univers, énigmes et découvertes*, par Philippe de La Cotardière, chez Larousse (1984)
- *Poussières d'étoiles*, par Hubert Reeves, au Seuil (1984)

que vous consulterez dans une bibliothèque ou demanderez à votre libraire.

Allez visiter :

en France :

- le palais de la Découverte, à Paris, Grand Palais, métro Franklin-D.-Roosevelt ou Champs-Élysées Clemenceau ;
- la Cité des Sciences et de l'Industrie de la Villette, à Paris, métro Porte de La Villette ;
- l'observatoire le plus proche de votre localité. Pour connaître son adresse, écrivez à l'Observatoire de Paris, 61, avenue de l'Observatoire, 75014 Paris.

Et, si vous habitez le **Canada :**

- Planétorium Dow 1000 ouest, rue St-Jacques Montréal, Qc H3C 1G7 ;
- Ontario Science Centre, 770, Down Mills Road Toronto, Ontario M3C 1T3 ;
- Royal Ontario Museum, 100, Queen Park, Toronto, Ontario M5S 2C6 ;
- National Museum of Natural Sciences, Coin McLeod et Metcalfe Ottawa, Ontario K1P 6P4 ;

Si vous voulez connaître les **clubs d'astronomie** de votre région, adressez-vous aux associations suivantes :

en France :

- Association française d'astronomie, tél. (1) 45 89 81 44 ;
- Société astronomique de France, tél. (1) 42 24 13 74 ;

en Belgique :

- Cercle astronomique de Bruxelles (CAB), 43, rue du Coq, 1180 Bruxelles;
- Société astronomique de Liège (SAL) Institut d'astrophysique, avenue de Cointe 5 4200 Cointe-Liège, tél. 041/52 99 80 ;
- Société royale belge d'astronomie, de météorologie et de physique du globe (SRBA) Observatoire royal de Belgique, avenue Circulaire 3 1180 Bruxelles tél . 2/373 02 53

en Suisse :

- Société astronomique de Suisse (SAS), Hirtenhofstrasse 9, 6006 Lucerne ;
- Société vaudoise d'astronomie (SVA), chemin de Pierrefleur 22, 1004 Lausanne ;

au Québec :

- Société astronomique de Montréal, tél. (514) 453 0752.

Regardez :

Les émissions du Club ASTR3NAUTE, sur FR3. Pour les horaires : Tél : 46.22.52.72 Ce club vous est également accessible par Minitel : 3615, code FR3 AST.

Écrivez :

- à l'Association française d'astronomie, 17 rue Émile-Deutsch-de-La-Meurthe, 75014 Paris. Vous pouvez également expédier votre demande de renseignement à la boîte aux lettres du service SOSASTRO de l'Association française d'astronomie en faisant sur Minitel 3615, code AFA, puis en choisissant le service « Astronef » ;
- à la Société astronomique de France (SFA), 3, rue Beethoven, 75016 Paris.

Lexique

Accrétion :
Capture de matière par un astre à forte gravité. La matière ainsi aspirée peut former autour de certains objets un disque d'accrétion.

Amas globulaire :
Amas d'étoiles de forme sphérique et d'une densité centrale si élevée que l'on ne peut en distinguer les composantes.

Astronomes :
Savants qui étudient les corps célestes.

Constellation :
Groupement d'étoiles qui rappelle aux observateurs un être ou un objet familier dont le nom lui est en général donné.

Elliptique :
Qui a une forme ovale, comme un ballon de rugby.

Géante rouge :
Etoile qui prend des dimensions gigantesques après avoir brûlé presque tout son hydrogène et que l'excès de chaleur fait se dilater. Ses couches extérieures, en se refroidissant, prennent une coloration rouge.

Gravité :
Force d'attraction exercée par un corps céleste.

Graviter
Tourner autour d'un astre plus lourd sous l'effet de sa force gravitationnelle.

Kiloparsec :
Unité de longueur égale à 1 000 parsecs

Mégaparsec :
Unité de longueur égale à un million de parsecs.

Naine blanche :
Petit objet chauffé à blanc qui survit à l'effondrement sur elle-même d'une étoile semblable à notre Soleil.

Ondes radio (ou radioélectriques) :
Rayonnement d'énergie sur une longueur d'onde supérieure à celle de la lumière visible, et qui ne peut donc être capté que grâce à un récepteur radio.

Parsec :
Unité de longueur égale à 3,2616 années-lumière . Elle est fréquemment utilisée pour mesurer les distances et les dimensions des objets situés hors du système solaire.

Quasar :
Objet d'aspect stellaire qui occupe le centre d'une galaxie et qui peut avoir un grand trou noir en son milieu.

Rayons X :
Forme de radiation d'un très grand pouvoir de pénétration; on l'utilise en particulier pour radiographier le corps humain.

Rotation :
Mouvement d'un corps céleste qui tourne autour de son axe.

Séquence principale :
Quand on répartit les étoiles sur un diagramme en fonction de leur couleur et de leur luminosité, on s'aperçoit que la plus grande partie d'entre elles se regroupent le long d'une ligne, que l'on a appelé «séquence principale».

Supernova (au pluriel : des supernovae) :
Une géante rouge qui s'est effondrée sur elle-même, surchauffant ainsi ses couches externes et provoquant des explosions.

Trou noir :
Objet massif - d'ordinaire une étoile ratatinée -, d'une densité telle que même la lumière ne peut échapper à sa gravité.

Univers :
Ensemble de tout ce dont nous connaissons ou supposons l'existence.

Crédits photo : page de couverture : © Garret Moore ; p.4/5 : © Frank Zullo 1985 ; p.6 (haut) : Anglo-Australian Télescope Board, David Malin, (bas) © Frank Zullo 1985 ; p.7 : © Julian Baum 1988 ; p.8/9 (haut) : © Julian Baum 1988, (bas) : NOAO ; p.10 : © Julian Baum 1988 ; p.10/11 (haut) : NOAO, (bas) : © John Foster ; p.12/13 (haut et bas) : NOAO ; p.14/15 : NOAO ; p.16 : NOAO ; p.16/17 (haut et bas) : NOAO ; p.18/19 (haut) : Lynette Cook 1987, (bas) : © Sally Bensusen 1987 ; p.19 : Sheri Gibbs ; p.20 (haut) : Halton C. Arp, (milieu/droite) : USNO, (bas) : NOAO ; p.20/21 : Halton C. Arp ; p.21 : Anglo-Australian Télescope Board, David Malin ; p.22 : NOAO ; p.22/23 : NOAO ; p.23 : © Garret Moore ; p.24/25 (haut) : © Sally Bensusen 1988, (bas) : Halton C. Arp ; p.25 : © Sally Bensusen 1988 ; p.26 : NOAO ; p.26/27 : NOAO ; p.28/29 : © Lauri Shock 1988.

Isaac Asimov

Né en 1920 en Russie, Isaac Asimov a suivi très jeune ses parents aux États-Unis, où il a fait des études de biochimiste avant de devenir l'un des écrivains les plus féconds de notre siècle. On lui doit plus de quatre cents titres publiés dans des domaines aussi différents que la science, l'histoire, la théorie du langage, les romans fantastiques et de science-fiction. Sa brillante imagination et sa vaste érudition ont su lui gagner l'attachement de ses lecteurs, enfants comme adultes. Il a obtenu le prix Hugo de la science-fiction et le prix Westinghouse de l'Association américaine attribué à des ouvrages scientifiques. Il est surprenant de constater que de nombreuses anticipations d'Isaac Asimov se sont révélées prémonitoires. Et c'est là une des raisons de l'attrait qu'exercent ses textes.

Isaac Asimov a déjà beaucoup écrit pour les jeunes et son intérêt pour la littérature de jeunesse ne fait que croître avec les années. Passionné à traquer le savoir, il cherche à faire partager ses découvertes, à les redire avec ses mots à lui, en les rendant plus accessibles, plus facilement compréhensibles. Il possède de remarquables talents de pédagogue : sa plume, quand il traite de la science, est animée d'un tel enthousiasme pour son sujet qu'on ne peut s'empêcher de le partager. Mais Isaac Asimov ne se contente pas de transmettre des connaissances, il est profondément préoccupé par les conséquences que peut avoir la science sur le destin de l'homme.

" Mon message, c'est que vous vous souveniez toujours que la science, si elle est bien orientée, est capable de résoudre les graves problèmes qui se posent à nous aujourd'hui. Et qu'elle peut aussi bien, si l'on en fait un mauvais usage, anéantir l'humanité. La mission des jeunes, c'est d'acquérir les connaissances qui leur permettront de peser sur l'utilisation qui en est faite."

Isaac Asimov

Isaac Asimov

La Bibliothèque de l'Univers

On comprend qu'avec de telles préoccupations, Isaac Asimov ait été amené à s'intéresser à l'espace, où se trouvent les clés de l'apparition et du maintien de la vie sur la Terre. Le cosmos a tout particulièrement inspiré les œuvres d'imagination d'Asimov, mais ce dernier lui a également consacré des études d'un niveau élevé.

Et voici que maintenant, Isaac Asimov s'est attelé à la rédaction d'une véritable Bibliothèque de l'Univers, source d'informations unique en son genre, qui englobe à la fois le passé, le présent et l'avenir. Pendant des mois de préparation, l'auteur s'est interrogé sur ce que sera l'espace quand nos enfants auront grandi. Ils seront témoins de l'établissement d'une station spatiale, de la lente mise en route d'exploitations minières sur le sol de la Lune. Ils suivront peut-être le vol d'une équipe mixte USA/URSS vers Mars.

La passion d'Asimov à «enseigner l'espace» n'est pas une fin en soi. *«Plus il y aura d'êtres humains captivés par la science,* écrit-il, *et plus notre société sera en sécurité.»*

Titres parus :

Les astéroïdes
Les comètes
ont-elles tué les dinosaures ?
Fusées, satellites et sondes spatiales
Guide pour observer le ciel
La Lune
Mars, notre mystérieuse voisine
Notre système solaire
Notre Voie lactée
et les autres galaxies
Pulsars, quasars et trous noirs
Saturne et sa parure d' anneaux
Le Soleil
Uranus : la planète couchée

A paraître :

La Terre : notre base de départ
Y a-t-il de la vie
sur les autres planètes ?
Comment est né l'Univers ?
Mercure : la planète tranquille
Les objets volants non identifiés
Les astronomes d'autrefois
Vie et mort des étoiles
Jupiter : la géante tachetée
Science-fiction et faits de science
Les déchets cosmiques
Pluton : une planète double
La colonisation
des planètes et des étoiles
Comètes et météores
La mythologie et l'Univers
Vols spatiaux habités
Neptune : la planète glacée
Vénus : un mystère bien enveloppé
Les programmes
spatiaux dans le monde
L'astronomie aujourd'hui
Le génie astronomique

Aubin Imprimeur Ligugé, Poitiers — 4-1990 — D.L. : avril 1990 — N° d'édition 16329 — N° d'impression P 34870 — ISBN 2-08-161463-4 — ISSN 1147-288-X

Isaac Asimov
notre voie
lactée et les
autres galaxies
Père Castor
Flammarion